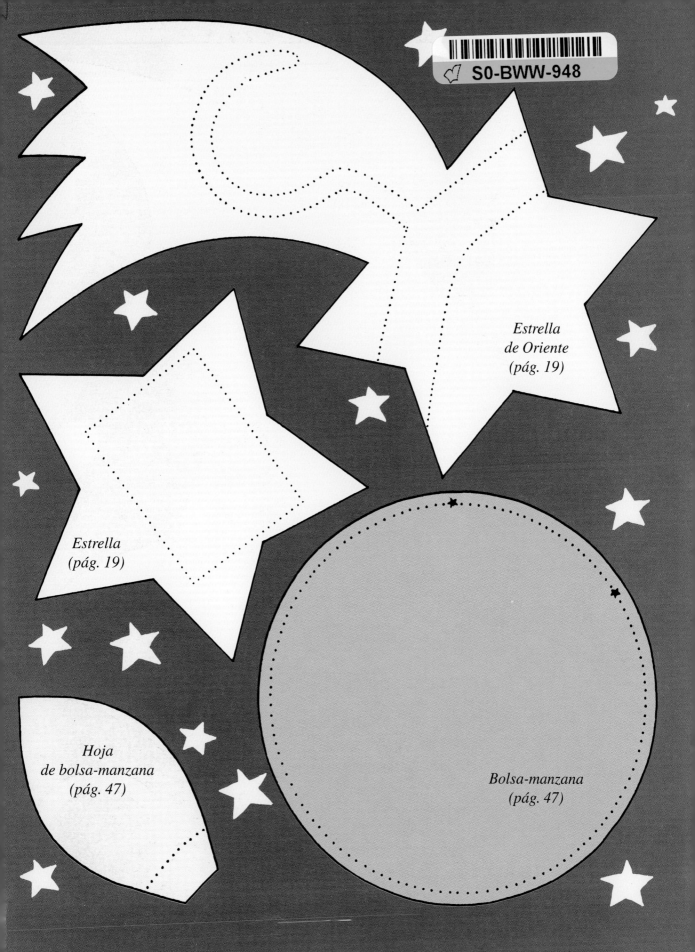

Estrella
de Oriente
(pág. 19)

Estrella
(pág. 19)

Hoja
de bolsa-manzana
(pág. 47)

Bolsa-manzana
(pág. 47)

ESPECIAL NAVIDAD

KNISTER

Es el autor de este libro. Estudió Pedagogía Social y Música.
De la música y la composición de canciones pasó a la escritura.
Autor y compositor desde 1978, ha escrito muchas
obras de teatro, guiones cinematográficos y radiofónicos
y canciones y libros para niños.

Linde Jochmann

Es la autora del proyecto de este libro. También estudió Pedagogía Social
y Música, y ha trasladado a este libro sus conocimientos
y experiencias prácticas en los ámbitos escolares
del arte y la música.

Birgit Rieger

Es la ilustradora de este libro. Vive y trabaja en Berlín.
Como diseñadora gráfica independiente diseña e ilustra
libros infantiles y juveniles.

ESPECIAL NAVIDAD

Ideas mágicas para manualidades, juegos y regalos

Texto
de Knister

Ilustraciones
de Birgit Rieger

3ª edición

ⓑ Bruño

Jefe de Publicaciones Infantiles y Juveniles:
Trini Marull
Edición:
Cristina González

Traducción:
Rosa Pilar Blanco

Canciones:
Pedro M.ª G.ª Franco

Diseño de cubierta:
Miguel Ángel Parreño

Título original: *Weihnachtszeit-Zauberzeit mit Hexe Lilli*
© Arena Verlag GmbH, Würzburg, 1997
© Grupo Editorial Bruño, 1998.
  Maestro Alonso, 21.
  28028 Madrid.

ISBN: 84-216-3475-5
Depósito legal: Bi-39.523-2002
Impreso en Grafo S.A.

¿DÓNDE ESTÁ CADA COSA?

¡HOLA!

Éste es Dani, el hermano de Kika. Todavía va a la clase de los pequeños, y es tan curioso que a veces hasta puede resultar algo plasta. Pero, a pesar de todo, Kika le adora.

Ésta es Kika, la superbruja que aparece en las páginas de este libro.

Tiene más o menos tu edad y parece una niña corriente y moliente. Bueno, en realidad lo es..., aunque no del todo. Y es que Kika posee algo muy poco común: ¡un libro de magia con el que ya ha vivido las más disparatadas y trepidantes aventuras!

Quizá ya conozcas a estos dos personajes, pues son los protagonistas de las distintas aventuras de Kika Superbruja.

En este libro, sin embargo, tú serás el protagonista, ya que en él no se desarrollan historias, sino fantásticas ideas que puedes realizar tú solo, con tus amigos y amigas o con tus compañeros y compañeras de clase.

Todas esas ideas están relacionadas con el invierno y con la Navidad, y la verdadera diversión comenzará cuando pongas en práctica los juegos, manualidades, sorpresas y bromas que forman el libro.

Seguro que te diviertes al leerlo, porque Kika en persona interviene una y otra vez en él y..., claro, ¡ella siempre tiene ocurrencias de lo más disparatadas!

Otra cosa: estas estrellas serán tus guías a través del libro.

Con ellas descubrirás a primera vista dónde están las adivinanzas, por ejemplo. Al final del libro encontrarás las soluciones y también un índice que recoge todas las manualidades, canciones y juegos incluidos en él. Ah, una cosa más: el libro contiene una carta interactiva a los Reyes Magos y tres invitaciones para copiar y rellenar. En fin, esto es todo.

Te deseo que pases
un estupendo invierno
y una feliz Navidad.

KNISTER

FIESTA DE FAROLILLOS

Cuando oscurece a media tarde
y pasas frío en manga corta,
cuando los ratones de campo merodean
alrededor de las casas
y las narices moquean sin cesar,
cuando los pájaros emigran
y los árboles se quedan sin hojas,
el invierno se acerca y llega al fin
la época adecuada para las fiestas de farolillos.

A finales de otoño, cuando el invierno llama a la puerta, oscurece temprano y Kika Superbruja por fin puede invitar a todos sus amigos y amigas a una fiesta de farolillos. Esta vez se le ha ocurrido algo especial: ¡los vampiros deben estar presentes, así que la fiesta será para invitados con nervios de acero! El punto culminante será la procesión de farolillos de vampiro. Pero antes hay un montón de cosas que preparar. Para que los vampiros se sientan como en su casa, Kika les ha preparado unas sangrientas y escalofriantes bebidas, también ha compuesto canciones horripilantes, se ha inventado unas manualidades de lo más siniestras, ha diseñado artilugios que meten un ruido infernal y... A lo mejor a ti también te apetece organizar con tus amigos y amigas una fiesta de farolillos tan horripilante como ésta. Pero... ¡cuidado! La fiesta tendrá que haber terminado a las doce en punto de la noche, pues de lo contrario podría suceder que a los verdaderos vampiros y a algún que otro ser de ultratumba les apetezca unirse a ella...

INVITACIÓN

¡Hola, ...!

(pon aquí el nombre de tu amigo o amiga)

¿Te apetece celebrar conmigo y con mis amigos y amigas una vampírica fiesta de farolillos el día .... de ....? ¡Todo está preparado para que a las .... horas recibamos a esos horripilantes monstruos! Ya sé que a esa hora aún es de día, pero necesitaremos tiempo para preparar una terrorífica procesión de farolillos.

Mi casa está en ....

(pon aquí la dirección de tu casa)

¡Ármate de valor! Puedes traer una linterna de bolsillo, ¡pero queda terminantemente prohibido venir con ajos!

La fiesta terminará a las .... horas, y pueden venir a buscarte tus padres o, si lo prefieres, el sepulturero del cementerio...

Firmado:

....

(pon aquí tu nombre)

Cuando lleguen todos los invitados comenzarán a fabricarse los terroríficos farolillos de vampiro. Kika ya ha preparado los materiales, y les explica a sus invitados que no todos los niños pueden llevar un farolillo en la procesión, ya que algunos tendrán que formar parte de la orquesta de los monstruos tocando infernales instrumentos.

Farolillo de vampiro

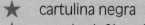

★ cartulina negra
★ papel celofán rojo
★ asa de alambre
★ mango

Laterales

Se preparan dos tiras largas de cartulina negra con los bordes recortados en ángulos de 1 cm. Estos ángulos se doblan hacia dentro y se pegan a los contornos de la cara.

51 cm

15 cm

Por último, las **alas de los vampiros** se cortan tal como indica el patrón y se pegan en los laterales.

23 cm

Frontal del farolillo

En una cartulina de 23 × 23 cm se cortan dos anillos de 1'5 a 2 cm de ancho, que serán los contornos de las caras. Después se recortan los ojos, las cejas, la boca, las orejas y las alas del vampiro (los patrones están en la guarda delantera del libro). A continuación se pegan los contornos de las caras sobre el papel celofán rojo, y las orejas por detrás.

Mientras confeccionan los farolillos, Kika enseña a sus invitados la sobrecogedora canción del vampiro. La melodía es muy conocida, por lo que resulta muy fácil de aprender.

Canción del vampiro

(Para cantar acompañada con la melodía de la canción Cucú, cantaba la rana.)

"¡Uh, uh! ¡Uh, uh!", gri - ta-bael vam - pi - ro. "¡Uh, uh! ¡Uh uh!", sien - toes - ca - lo - frí - os. "¡Uh, uh! ¡Uh, uh!", mal - di - to vam - pi - ro. "¡Uh, uh! ¡Uh, uh!", no pue - des con - mi - go.

Cuando los farolillos ya están listos, Kika apaga algunas luces. Los farolillos relucen tenebrosamente en la habitación, lo que crea un ambiente la mar de adecuado para una merienda monstruosa...

Ponche sangriento

- ★ 1 botella de zumo de cereza
- ★ 1 limón
- ★ 1 clavo de especia
- ★ 1 barrita de canela
- ★ el zumo de una naranja
- ★ azúcar al gusto

Kika lava el limón con agua caliente y lo corta en rodajas. Luego calienta en una cazuela el zumo de cereza con las rodajas de limón, el clavo y la canela. Cuando el ponche ha hervido unos 5 minutos, saca las especias y las rodajas de limón con un cucharón o una espumadera, y añade el zumo de naranja. A continuación, Kika somete a Dani a la prueba del azúcar: si su hermano pone cara de asco al probar el ponche, es que está demasiado ácido, y si se relame de gusto es que el ponche está bien dulce. Como es natural, ¡el ponche se bebe caliente!

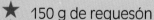

Pan de vampiro

- ★ 150 g de requesón
- ★ 75 g de azúcar
- ★ 1 cucharadita de azúcar con sabor a vainilla
- ★ 1 pizca de sal
- ★ 6 cucharadas soperas de aceite
- ★ 4 cucharadas soperas de leche
- ★ 300 g de harina
- ★ 1 sobrecito de levadura

Kika mezcla el requesón con el azúcar, la sal, el aceite, la leche y el azúcar con sabor a vainilla.

Después añade la levadura a la harina y las vierte sobre la mezcla anterior.

Lo remueve todo muy bien con una cuchara y luego lo amasa hasta obtener una pasta manejable. Aunque es muy divertido, Kika no se eterniza amasando, pues sabe que entonces la pasta se volvería demasiado pegajosa.

Después, sobre una superficie cubierta de harina, modela terroríficas figuritas con la pasta. A continuación unta la bandeja del horno con mantequilla, coloca encima las figuritas y las unta con yema de huevo batida.

El horno estará precalentado a 200 grados, ¡una temperatura fatal para los vampiros! Entonces Kika introduce la bandeja con mucho cuidado en el horno y deja cocer las figuritas unos 30 minutos.

Dientes de vampiro

- ⭐ 4 claras de huevo
- ⭐ 75 g de azúcar
- ⭐ 1 cucharadita de zumo de limón
- ⭐ mermelada roja como la sangre

Con una batidora, Kika pone las claras a punto de nieve. Luego les añade muy despacito el zumo de limón y el azúcar.
Llena una manga pastelera con la masa de claras batidas a punto de nieve y, a continuación, va formando los dientes de vampiro con la manga pastelera sobre una bandeja de horno cubierta con papel de aluminio.

Los dientes de vampiro se tienen durante hora y media en el horno a 120 grados, pero... ¡mucha atención!: a los 45 minutos hay que cubrirlos con papel de aluminio para que no se pongan amarillos.
Una vez preparados los dientes, Kika deja que se enfríen y luego pinta las puntas de los colmillos con mermelada de color rojo como la sangre.

Artilugios ruidosos para monstruos

Estos artilugios monstruosos serán muy fáciles de construir porque Kika ya ha preparado todo lo necesario.

Las **cintas de cascabeles** atadas a los tobillos y a las muñecas producen la música adecuada para los bailes de brujas y vampiros.

Con los escandalosos **despertadores de vampiro** fabricados con cuerdas, cuentas de collar y latas con tapadera vacías, los niños monstruosos más graciosillos despiertan a sus sufridos padres y hermanos.

Una fantástica **serpiente matraqueante** de latas de conserva vacías y atadas entre sí pondrá en fuga a los espíritus y a los vecinos pesados.

Con un trozo de alambre fino, chapas y diversos tapones metálicos de botellas se fabrican **monstruosos sonajeros**.

Un **órgano para monstruos** se elabora introduciendo un peine en un trozo de papel de aluminio doblado. Si se sostiene junto a los labios al cantar, es capaz de poner histérica incluso a una persona con nervios de acero.

Con cajas y botellas de plástico rellenas de piedras y con tapaderas de cacerolas pueden fabricarse **matracas y tambores diabólicos.**

¡Y hasta las momias se despertarán en sus sarcófagos al oír los horribles gritos berreados a través de una simple regadera!

Antes de comenzar la procesión hay que aprenderse una canción.
La música es muy conocida. (Y recuerda que la canción de los monstruos tiene que resultar más estridente que melodiosa.)

En definitiva, se trata de molestar a los vecinos de Kika, por lo que la espeluznante canción estará acompañada por una orquesta monstruosa que interpretará la melodía a todo volumen.

Venimos a asustar

(Para cantar acompañada con la melodía del villancico
Los peces en el río.)

Soy un vam - pi - ro sen - si____ ble, o - dio las
ten - go un as - pec - to te - rri____ ble y duer - mo

so - pas de a____ jo, | 1. | 2. Que sea -
ca - be za a - ba____ jo.

par - te to do el mun - do, que vie - nen los vam - pi - ros y re-

tum - ban sus pro - fun - dos au - lli - dos y sus - pi - ros.

Tum - ba, re - tum - ba y vuel - ve a re - tum - bar; que

tiem - ble to - do el mun - do, ve - ni - mos a a - sus - tar.

Soy un vampiro goloso,
tengo colmillos de sable,
amo el sabor horroroso
de los pasteles de hojaldre.

Tengo salud y alegría,
soy un vampiro fantoche;
salgo a volar por el día
porque me asusta la noche.

Estribillo:

Que se aparte todo el mundo,
que vienen los vampiros
y retumban sus profundos
aullidos y suspiros.

Tumba, retumba y vuelve a retumbar;
que tiemble todo el mundo,
venimos a asustar.

La terrorífica banda se pone en marcha.
Se oyen tal estrépito y tales risas
que incluso a los verdaderos vampiros
se les ponen los pelos de punta
en sus criptas y en sus ataúdes.

¿Quién no conoce el famoso villancico Jingle bells?

Kika y sus compañeros de clase se divierten durante el Adviento, que es la época anterior a la Navidad, cantando ese villancico a la luz de muchas velitas, pero con esta otra letra:

 Pronto llegará

Hay que decorar la casa y la ciudad,
poner el nacimiento, comprar el mazapán.
Magos de ilusión y felicidad,
los Reyes de Oriente regalos me traerán.

Voy a preparar crema de ilusión,
bollitos dc ternura, caricias de turrón,
besos de bombón, dulce de amistad,
nata de alegría, calor de Navidad.

Estribillo:

Navidad, Navidad, dulce Navidad...
¡Cuántas luces encendidas hay por la ciudad!
Navidad, Navidad, dulce Navidad...
¡Faltan ya muy pocos días, pronto llegará!

¡Mucho cuidado con las velitas, no vayan a tener que ir a apagarlas los bomberos, como en la clase de Kika...!

Aún faltan cuatro semanas para Navidad, pero en la clase de Kika ya ha estallado una auténtica fiebre navideña. Todos quieren hacerse un calendario de Adviento como es debido para colgarlo en su casa. La señorita Marina, su profesora, les hace una sugerencia:

★ 1 percha con barra para colgar pantalones
★ cinta azul
★ 24 cajas de cerillas vacías
★ cartulina amarilla
★ cinta dorada
★ 1 hebra de hilo fuerte

Calendario de Adviento «Cielo estrellado»

Kika forra la percha con la cinta azul y tapa el gancho por los dos lados con dos estrellas de Oriente recortadas en cartulina amarilla. Después recorta 24 estrellas normales también en cartulina amarilla y las pega sobre las cajas de cerillas (los patrones de las estrellas están en la guarda delantera del libro). Kika escribe los números del 1 al 24 en las estrellas.

Estos números quedan preciosos si se escriben con un rotulador de color oro o fosforescente. Después pega las estrellas en varias tiras de cinta dorada que colgarán de la percha. Kika llena las cajas de cerillas con golosinas y cuelga el calendario tan alto como puede en el cuarto de Dani con ayuda de una hebra de hilo fuerte. ¡Su hermano se llevará una gran sorpresa!

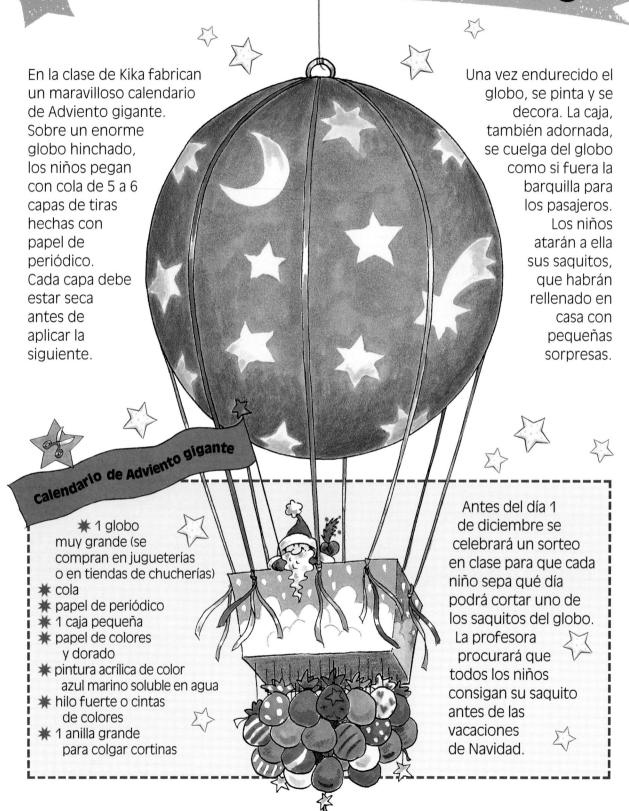

En la clase de Kika fabrican un maravilloso calendario de Adviento gigante. Sobre un enorme globo hinchado, los niños pegan con cola de 5 a 6 capas de tiras hechas con papel de periódico. Cada capa debe estar seca antes de aplicar la siguiente.

Una vez endurecido el globo, se pinta y se decora. La caja, también adornada, se cuelga del globo como si fuera la barquilla para los pasajeros. Los niños atarán a ella sus saquitos, que habrán rellenado en casa con pequeñas sorpresas.

Calendario de Adviento gigante

* ✳ 1 globo muy grande (se compran en jugueterías o en tiendas de chucherías)
* ✳ cola
* ✳ papel de periódico
* ✳ 1 caja pequeña
* ✳ papel de colores y dorado
* ✳ pintura acrílica de color azul marino soluble en agua
* ✳ hilo fuerte o cintas de colores
* ✳ 1 anilla grande para colgar cortinas

Antes del día 1 de diciembre se celebrará un sorteo en clase para que cada niño sepa qué día podrá cortar uno de los saquitos del globo. La profesora procurará que todos los niños consigan su saquito antes de las vacaciones de Navidad.

Las cintas que sostienen la barquilla se atan a la anilla, y deben pegarse en el tercio superior del globo.

Saquitos

★ papel seda (2 capas)
★ fieltro, papel metalizado
   o tela de colores
★ cinta de regalo (de 25 a 30 cm)

Se usa el papel de seda para el interior de los saquitos, y el fieltro, el papel metalizado o la tela de colores para el exterior.

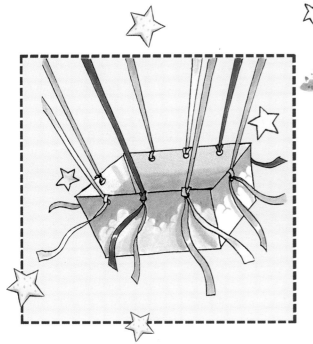

Se perforan los lados de la caja de cartón en 8 puntos para pasar por ellos las cintas y anudarlas.

Para sujetar los saquitos a la barquilla se perfora la base de la caja, se introducen las cintas por los agujeros y se les ata una cerilla en el extremo para que haga tope.

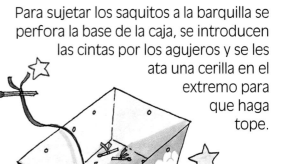

Cartas a los Reyes Magos

En la clase de hoy, la señorita Marina charla con sus alumnos sobre los regalos que desean para Reyes, pero en este caso, los niños tienen que decir cosas que no cuesten dinero.

Cada uno confecciona una lista especial de sus deseos y se la entrega a la profesora.

¡No tener que ordenar mi habitación en una semana!

¡Pasar un día entero con mamá!

¡Poder quedarme levantado hasta la hora que quiera y dormir el tiempo que me dé la gana!

¡Ensayar un juego nuevo con mis padres!

LISTA DE DESEOS

Que cada uno pueda decidir al menos en una ocasión los deberes que hay que hacer.

QUE HAYA UNA CLASE ENTERA DE CHISTES

Que la profesora piense en una buena cualidad de cada alumno de la clase.

INVITAR A LA CLASE DE AL LADO Y PASARNOS UNA HORA DE **CHARLOTEO**

En casa, Kika decide escribir su propia carta a los Reyes Magos. Y... ¡cómo no!, se le ha ocurrido algo especial: las personas que pueden hacer que sus deseos se conviertan en realidad tendrán la posibilidad de participar en la confección de la carta.

Para que Dani también pueda utilizarla, le ha dejado unas líneas libres para que apunte en ellas sus deseos.
Una vez redactada la carta, Kika la colorea para que quede más bonita, hace unas cuantas fotocopias dejando líneas libres para sus amigos y amigas y... ¡listo!

CARTA
A LOS REYES MAGOS

de ....
(pon aquí tu nombre)

Deseo que mamá:

⭐ Juegue conmigo.

⭐ Me hable de cuando era como yo.

⭐ Me lleve alguna vez
con ella a su trabajo.

⭐ Me deje ver la televisión todo
lo que me apetezca.

Deseo que papá:

⭐ Me lleve alguna vez
con él a su trabajo.

⭐ Me hable de cuando era
como yo.

⭐ Me cuente las mentirijillas
que él contaba de pequeño
(tres como mínimo).

⭐ Pase a solas conmigo un día
entero en ....

Deseo que

....

⭐ Venga conmigo al cine.

⭐ Me lea todas las noches

el libro........................

⭐ Se invente y haga conmigo
una broma.

⭐ Limpie mi bicicleta.

Deseo que

....

⭐ Me cuente una anécdota
divertida que le haya pasado
alguna vez.

⭐ Me cuente cuál es
su mayor defecto.

⭐ Me cuente qué es lo que
más le asusta.

¡Queridos participantes de la carta a los Reyes Magos!
Ésta es una carta muy especial. Vosotros también podéis seleccionar las cosas
que deseáis en ella. Tienen que ser   como mínimo dos, aunque,
por supuesto, también podéis   apuntaros a las que queráis.

Tras escuchar los deseos de sus alumnos, la señorita Marina dice cuál es el suyo: quiere jugar.

El juego de los regalos disparatados

Todos los niños se sientan en círculo y piensan un regalo lo más raro posible. A continuación, cada uno le dice al oído a su vecino de la *izquierda,* en voz muy baja, en qué consiste su regalo.

Empieza Kika:
«Te regalo un cachorro de rinoceronte», le susurra a la compañera de su izquierda. Ésta, a su vez, le «regala» al compañero de su *izquierda* un telescopio.

El siguiente compañero recibe una excavadora..., y el juego se prolonga hasta que todos los niños han escuchado su «regalo». Después, la persona que comenzó el juego (en este caso Kika) le dice al oído a su compañero de la *derecha:*
«Con lo que te han regalado tienes que hacer...»
De este modo, cada uno le va diciendo al compañero o compañera de su *derecha* lo que tiene que hacer con su regalo.
Lo más divertido empieza cuando todos cuentan lo que les han regalado y lo que tienen que hacer con esos regalos.
Resultan las combinaciones más absurdas, como por ejemplo:
«Me han regalado un equipo de buceo y con él tengo que trepar al colegio.» O: «Me han regalado un caballo y tengo que llevarlo al cine.»

Parece que a la señorita Marina se le ha contagiado la fiebre navideña, porque sorprende a sus alumnos con estas extrañas palabras que ha escrito en la pizarra justo antes de comenzar la clase.

Aunque la verdad es que a los niños no les cuesta demasiado trabajo descifrar la misteriosa clave de estas enigmáticas palabras navideñas...

RBL D NVDD   NCMNT

MRCDLL D NVDD   VLLNCCS

RYS MGS   CBLGT D RYS

RSCN D RYS   MZPN Y TRRN

PRTL D BLN   PP NL

MSG Y RMS D ACB

El 4 de diciembre se celebra el día de Santa Bárbara, y siguiendo una antigua costumbre, en esa fecha se corta una rama que florecerá en Nochebuena.

La rama de Santa Bárbara

Al día siguiente corta el extremo de la rama y la mete en su habitación, que está muy calentita. Todos los días le pone agua fresca y la alimenta con glucosa.

Kika confía en que florezca para Nochebuena, pero si esa maravillosa floración invernal no se produjera, piensa adornar con cintas y estrellas su rama de Santa Bárbara y regalársela a sus padres por Navidad.

Ahora sólo falta confeccionar unos cuantos jarrones de regalo adecuados para las ramas de Santa Bárbara.

¿Y cómo es que una rama puede florecer en pleno invierno? Pues…, en cierto modo, porque engañamos a la naturaleza. El calor que hay en el interior de casa hace creer a la rama que ha llegado la primavera.

Las ramas más indicadas para ello son las de cerezo o las de manzano.

A principios de diciembre, Kika corta una rama. Para «engañarla», la mete unas horas en el congelador y, después, deja que se deshiele a temperatura ambiente.

Jarrones de regalo

* botellas de zumo o de vino vacías
* paja
* cinta de regalo y cuerda
* papel de colores
* alfileres
* papel dorado
* pegamento

Kika lava muy bien una botella de zumo o de vino vacía. Luego la embadurna de pegamento y le pega las ramitas de paja muy juntas todo alrededor. Después ata un trozo de cinta de regalo a la base y otro al cuello de la botella y les hace un lazo espectacular. Para terminar, recorta todas las ramitas de paja a la misma altura. Después, Kika decide forrar con cuerda otra de las botellas. Enrolla una cuerda muy apretada alrededor de la botella, de abajo arriba, hasta que ya no se vea el vidrio (para evitar que se resbale, Kika ha embadurnado antes la botella con pegamento).

Después de colocarle una escalera de bruja en el cuello, sólo faltan las estrellas doradas: Kika las recorta en papel dorado y las sujeta con alfileres a la cuerda con la que ha forrado la botella.

Escalera de bruja

Aunque resulte sorprendente, la escalera de bruja de Kika no es uno de sus encantamientos, sino algo muy sencillo de hacer: se cortan tiras de cartulina o papel dorado de 2 cm de ancho × 30 de largo. Se pegan por los extremos en ángulo recto y después se pliegan alternativamente una sobre otra. Los dos extremos finales se pegan de nuevo entre sí.

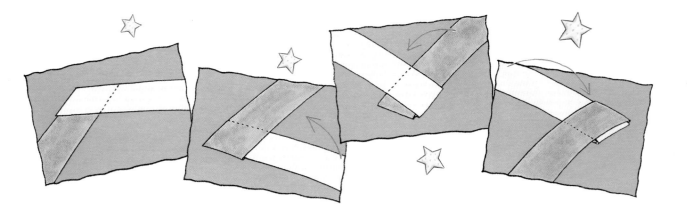

Bote «Flor de Nochebuena»

fieltro rojo y verde
cuentas amarillas
cuerda
1 bote o caja de bombones
  redonda

Una cuerda mide 30 cm de largo. Si queremos cortarla en trozos de 1 cm de longitud, ¿cuántos cortes tendremos que hacerle?

La flor de Nochebuena nace justo en la época de la Navidad, y Kika ha decidido fabricarse una igual.

1.

2.

3.

Se recortan siete hojas de fieltro rojo del mismo tamaño (en la guarda final del libro encontrarás una plantilla para calcarlas), se comban hacia dentro haciendo coincidir los dos puntitos que indica la plantilla y con ayuda de una aguja se van ensartando en una cuerda, alternándolas con cuentas amarillas hasta conseguir formar la flor.

Después, ésta se introduce en el bote o en la caja de bombones redonda, que se habrá forrado previamente con fieltro verde.

El bote anterior se llena con almendras a la canela preparadas según una vieja receta de la abuela de Kika.

Almendras a la canela de la abuela

* 200 g de azúcar
* 4 cucharadas soperas de agua
* media cucharadita de canela
* 500 g de almendras peladas
* aceite

3

¿Qué resultado obtienes al sumar mil gramos y cien centímetros?

4 En la clase de manualidades del colegio, Kika recorta una estrella de ocho puntas en una hoja de papel (tienes la plantilla para calcarla en la guarda final del libro) y le dobla muy bien las puntas hacia dentro. Después llena de agua una fuente grande que ha traído de su casa y la coloca en la mesa de la profesora. Todos los niños la observan atentamente... Entonces Kika pregunta: «¿Qué ocurrirá si coloco esta estrella en el agua?»

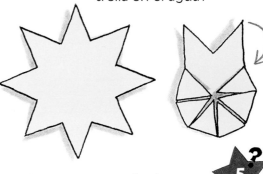

5 Kika forma una estrella de Navidad con 18 cerillas y luego pregunta:

«¿Quién es capaz de transformar esta estrella en otra diferente, formada por seis rombos, con sólo cambiar de sitio seis cerillas y sin añadir ni quitar ninguna?»

Kika mezcla el azúcar, el agua y la canela y lo pone a calentar sin dejar de removerlo hasta que se funde el azúcar. Después añade a la mezcla las almendras peladas y espera a que todas ellas queden rebozadas de azúcar y un poquitín tostadas.

A continuación pone a enfriar las almendras en una bandeja untada de aceite.

Mientras prepara esta receta, Kika tiene mucho cuidado de no quemarse, por supuesto.

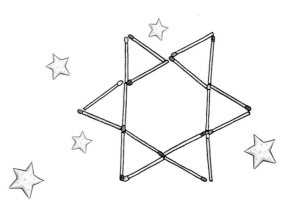

¿Cómo estás, Papá Noel?

*(Para cantar acompañada con la melodía
del villancico 25 de diciembre.)*

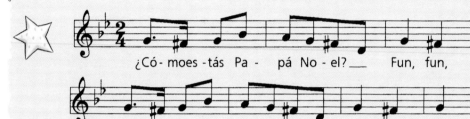

¿Có - moes -tás Pa - pá No - el? ___ Fun, fun, fun.

Muy can -sa- do se te ve. ___ Fun, fun, fun. Ven a

ca-sa, da-teun ba-ño, duer -meun ra - to, to -maun té con a-

nís, to - mi -lloy men- ta, ya ve-rás qué bien te sien - ta. Fun, fun, fun.

2. Ya lo ves, Papá Noel (Fun, fun fun),
¡qué prudencia hay que tener! (Fun, fun, fun).
Tu trineo ha derrapado,
ha volcado en el arcén.
Los bomberos, apenados,
su camión te han regalado (Fun, fun, fun).

4. Llévame, Papá Noel (Fun, fun, fun)
de paseo en tu trineo (Fun, fun, fun).
¡Qué gozada! ¡Qué meneo!
Subo y bajo sin parar,
recorriendo el mundo entero
por la nieve, por el cielo (Fun, fun, fun).

3. Yo no sé, Papá Noel (Fun, fun, fun),
cómo puedes recorrer (Fun, fun, fun)
todo el mundo en una noche
sin un coche y sin un tren,
cargadito de juguetes,
yo no sé dónde los metes (Fun, fun, fun).

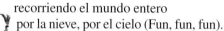

Cada país tiene sus costumbres en Navidad. En España, por ejemplo, la noche del 5 al 6 de enero, los Reyes Magos llevan regalos a los niños de todos los rincones, aunque a veces Papá Noel también se da una vuelta por las casas la noche del 24 al 25 de diciembre. En muchos países, sin embargo, Papá Noel es el único encargado de llevar regalos a todas las casas, y para facilitarle esa tarea, lo más corriente es colocar zapatos o colgar platos o calcetines para que deje allí sus obsequios.

Las botas de agua son las más adecuadas para fabricarse una bota de Papá Noel. Como es lógico, Kika utiliza una de las de su padre, porque son donde más cosas caben... Primero forra la bota con papel de regalo sujeto con celo y pega estrellas de adorno sobre el papel. Después forra el borde superior de la bota con algodón, para que quede como si fuera piel. Para terminar, mete en la bota una rama de abeto, aunque no muy grande, para dejar sitio suficiente a los regalos...

Kika le pregunta a su madre si tiene algún calcetín sin pareja. En todas las casas suele haber, porque siempre se pierde alguno al lavar la ropa.
Kika adorna el calcetín con mucho arte y después lo cuelga en el pasillo con ayuda de una cuerda de tender la ropa.

Kika va a desvelarnos uno de los secretos mejor guardados de la historia: el verdadero aspecto de la familia de Papá Noel. Primero recorta los patrones en cartón (los modelos están en la guarda final del libro), y después empieza a cocinar...

Figuritas de la familia de Papá Noel

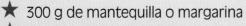

★ 300 g de mantequilla o margarina
★ 250 g de azúcar en polvo
★ 125 g de fécula de maíz
★ media taza de leche
★ 1 huevo
★ 1 pizca de sal
★ un poco de ralladura de cáscara de limón
★ 500 g de harina

Kika mezcla la mantequilla o la margarina con el azúcar en polvo y la fécula de maíz y le añade la leche, el huevo, la sal y la ralladura de limón. Después espolvorea la harina por encima y lo remueve todo. Extiende la masa hasta darle un grosor de medio dedo y coloca encima los patrones de cartón. Con un cuchillo recorta las figuritas en la masa y las coloca en una bandeja de horno

untada con mantequilla, margarina o aceite. Con mucho cuidado, mete la fuente en el horno, que habrá precalentado previamente a 180 grados, y las deja cocer durante 15 minutos.

Kika sabe que a la familia de Papá Noel le gustan mucho los colores rojo y blanco, así que prepara dos tipos de baño de azúcar de esos colores para decorar las figuras.

Si el baño de azúcar muy líquido ha quedado, añádele azúcar y lo habrás arreglado. Si demasiado espesa te queda la masa, tendrás que añadirle un poco de agua.

Por fin, Kika puede dar rienda suelta a su fantasía y, antes de que se seque el baño de azúcar, adornará con él las figuritas de la familia de Papá Noel.

Para adornar

laminillas de chocolate
barras y trocitos
sueltos de regaliz
crocante
nueces
perlitas
comestibles
etc.

**Baño
de azúcar
rojo**

★ 200 g de azúcar en polvo
★ 1 cucharada sopera
   de zumo de limón
★ colorante alimentario rojo

**Baño de
azúcar blanco**

☆ 100 g de azúcar en polvo
☆ 1 clara de huevo

(Para obtener más colores basta
con añadir cacao en polvo u otros colorantes
alimentarios de diferentes tonos
al baño de azúcar blanco.)

Una historia curiosa

6

En su largo camino, Papá Noel se ve sorprendido por una tempestad de nieve. Con gran esfuerzo intenta abrirse paso entre la ventisca, pero acaba perdiéndose.

Al anochecer, Papá Noel logra llegar milagrosamente a una cabaña.

Ésta le protege de la nieve y el viento, pero en su interior hace un frío que pela y está tan oscuro como la boca de un lobo.

Poco a poco, sus ojos se acostumbran a la escasa luz y entonces descubre un grueso tronco en la chimenea.

Sobre una mesa hay un diminuto cabo de vela y un grueso puro habano.

A su vez, en un rincón muy oscuro distingue un montoncito de leña menuda y una lámpara de aceite.

Aliviado, Papá Noel rebusca en los profundos bolsillos de su abrigo y va sacando cuidadosamente figuritas de mazapán, almendras garrapiñadas y..., por último, una cajita de cerillas.

Pero hay un pequeño problema: ¡en la cajita sólo queda una cerilla! Papá Noel examina con detenimiento toda la habitación mientras medita profundamente. Quiere decidir sin equivocarse qué es lo primero que debe encender... ¿Sabes tú lo que es?

Manopla de baño «Papá Noel»

* 1 manopla de baño de color rojo
* 65 cm de cinta verde para regalo de 1 cm de ancho
* 1 nuez
* 1 naranja
* algodón para la barba
* 1 trozo de tela marrón (aproximadamente de 7 × 10 cm)

Kika ata la cinta por la mitad de la manopla, ya que va a usar después los dos largos extremos para sujetar el saquito.

Al hacer el doble nudo se asegura de que éste coincida con la costura de la manopla de baño.

Mete hacia dentro el pico superior de la manopla opuesto al nudo, formando una especie de capucha en la que quepa la nuez, que será la cara de Papá Noel.

Después introduce la naranja por la abertura inferior de la manopla para darle estabilidad.

Ahora Kika sólo tiene que confeccionar el saquito. Cose por dos lados el trozo de tela doblado por la mitad y le da la vuelta. Después mete en él una pequeña sorpresa y se lo ata a la espalda a Papá Noel.

¡CAR-TA A LOS RE-YES MA-GOS!

7?

Esta frase tiene ocho sílabas, y el sobre de la carta a los Reyes Magos está formado por ocho líneas.

¿Cómo puedo dibujar la figura del sobre de un solo trazo, sin levantar el lápiz del papel?

Calculando renos

8?

Los renos de Papá Noel están enganchados al trineo. Un reno va delante de dos renos, un reno va en medio de dos renos y un reno va detrás de dos renos. ¿Cuántos renos son?

¡JO, JO, JO!

9 ❓ El problema de aritmética de Ruperto

Papá Noel y su ayudante Ruperto van camino a las casas de todos los niños para llevarles sus regalos. Ambos llevan pesados sacos a la espalda.

«¡Ufff! ¡Cuánto pesan mis sacos!», dice jadeando Ruperto.

«Deja de quejarte», le contesta Papá Noel. «Sólo con quitarte uno de tus sacos, yo llevaría el doble que tú.»

¿Cuántos sacos lleva cada uno?

Una vuelta del derecho, una vuelta del revés...

10 ❓

Cuatro Papás Noeles tejen en cuatro días cuatro calcetines de invierno, es decir, dos pares.

¿Cuántos Papás Noeles tejerán en diez días cinco pares de calcetines de invierno?

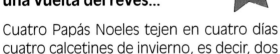

Para el concurso de repostería, Kika ha preparado con la ayuda de su hermano Dani la masa de un bollo de miel y las figuritas de la familia de Papá Noel (receta de las páginas 32-33).

Bollo de miel

- ★ 200 g de miel
- ★ 50 g de azúcar moreno
- ★ 75 g de margarina
- ★ 400 g de harina
- ★ 1 huevo
- ★ 2 cucharaditas de una mezcla de jengibre, canela y clavo
- ★ 1 pizca de levadura
- ★ 2 cucharadas soperas de leche

Kika calienta la miel en una cazuela y derrite en ella el azúcar moreno y la margarina.
Una vez fría la mezcla, espolvorea la harina en una fuente, le añade el huevo y el jengibre, la canela y el clavo y lo remueve todo con la mezcla de miel, empezando a darle vueltas desde el centro de la masa.
Para terminar, añade la levadura disuelta en la leche.
Esta masa tiene que pasar la noche en la nevera…, eso sí: ¡sin guantes ni bufanda!

En el concurso de repostería, cada niño prepara su masa con el rodillo hasta obtener una lámina muy fina, y después forma sus figuritas con ayuda de moldes o recortándolas con un cuchillo. Para decorarlas se utilizan almendras, nueces, piñones, fideos de chocolate o cualquier otro tipo de adorno dulce.

Al que le guste muy brillante, puede aplicar un baño de azúcar.

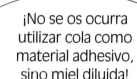

¡No se os ocurra utilizar cola como material adhesivo, sino miel diluida!

Baño de azúcar:
Se prepara con 250 g de azúcar en polvo y 3 cucharadas soperas de agua caliente.

Baño de yema de huevo:
Se prepara con 250 g de azúcar en polvo, 2 yemas de huevo y 2 cucharadas soperas de leche.

Baño de chocolate:
Se prepara con 250 g de azúcar en polvo, 30 g de cacao, 3 cucharadas soperas de agua caliente y 25 g de aceite.

INVITACIÓN

Coced, bollos, coced,

.... os lo ordena.
(pon aquí tu nombre)

Coced, pastitas, coced,

monerías nos gusta hacer.

Más de seis ingredientes hacen falta

para preparar una buena masa:

azúcar, levadura, huevos, sal,

margarina y..., por supuesto, harina.

El que no llegue a la hora

tendrá que comerse las sobras

de estos dulces navideños,

aunque, como es natural, no sólo cocinaremos...

Kika Superbruja y yo hemos preparado una de miedo,

así que mejor venid con chubasquero.

¡Ya veréis cómo nos reiremos!

Empezaremos a las ...... horas.

El horno se apagará a las ...... horas.

Campeonato de pastas

Preparados, listos...,
¡a las pastas!

¡YA!

Para este campeonato se pueden utilizar pastas ya preparadas, ¡pero hacerlas uno mismo es mucho, pero que mucho más divertido!
Por eso os doy aquí las recetas de las estrellas dulces y de las lunas ácidas.

Estrellas dulces

★ 125 g de margarina
★ 200 g de masa cruda de mazapán en dados
★ 75 g de azúcar
★ 1 paquetito de azúcar con sabor a vainilla
★ 1 huevo
★ 300 g de harina
★ 1 cucharadita de levadura en polvo

Kika ha formado ocho montoncitos de pastas. El primero se compone de una pasta, el segundo de dos, el tercero de tres y así sucesivamente.

En este juego participan dos jugadores, y sus reglas son muy sencillas. Alternativamente (o sea, primero uno y después el otro), los jugadores van cogiendo pastas: una sola pasta de un montón como mínimo, o dos montones enteros como máximo. Gana el que le deja la última pasta al contrario.

Kika mezcla el mazapán, el azúcar, la margarina, el huevo y el azúcar con sabor a vainilla. Luego lo amasa todo muy bien junto con la harina y la levadura y extiende la masa hasta darle el grosor de una lámina muy fina. A continuación recorta las estrellas, las pinta con yema de huevo y espolvorea azúcar por encima.

Después coloca las estrellas en una bandeja de horno cubierta con papel de aluminio y las hornea durante unos diez minutos a 175 grados.

Lunas ácidas

- 60 g de harina
- 50 g de mantequilla
- 20 g de azúcar
- 2 gotas de zumo de limón
- 1 pizca de sal
- 1 yema de huevo

Kika prepara una masa con todos los ingredientes y la deja reposar una hora en la nevera. Sobre una superficie enharinada, extiende la masa con el rodillo hasta darle un grosor de medio centímetro, recorta las medias lunas y las hornea a 175 grados durante diez minutos.

Kika unta las lunas con un baño de 75 g de azúcar en polvo mezclado con una cucharada sopera de zumo de limón para darles un precioso brillo plateado.

Damas de pastas

Una vez preparadas las pastas, Kika plantea a sus invitados un difícil enigma. Ha dibujado una fila de cinco casillas, en las que coloca dos estrellas y dos lunas dejando la casilla central vacía.

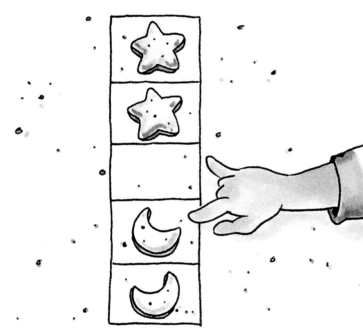

Se trata de intercambiar de lugar las estrellas y las lunas de forma que queden dos lunas arriba, dos estrellas abajo y la casilla central vacía.

Pero... ¡ojo, que hay una regla!:

Cada pasta puede desplazarse a la casilla inmediatamente libre o saltar por encima de otra pasta para caer en una casilla vacía (como en las damas), aunque nunca puede haber más de una pasta en cada casilla.

La casita de chocolate que echa humo por la chimenea

Esta vez a Kika se le ha ocurrido algo muy especial: ¡Quiere hacer una casita de chocolate que eche humo de verdad por la chimenea!
Para ello, primero construirá la casita, y a continuación la decorará con pastas y golosinas que irá pegándole con baño de azúcar (ver receta en la página 38).

Cuando todo esté bien pegado y seco, pondrá la casa encima de un platito sobre el que habrá colocado una pequeña bengala de esas que sólo echan humo. Y no dejará que salga humo más que cuando ella esté en la habitación, porque... ¡por nada del mundo querría tener que llamar a los bomberos!

Para construir el armazón de su casita de chocolate, Kika necesita un pliego de cartulina. Como es una superbruja de lo más original, ha decidido empezar la casa por el tejado, para lo que corta un rectángulo de 30 × 20 cm y traza una recta en el centro (como en el dibujo). Luego dobla el rectángulo por esa línea (ayudándose con el canto de un cuchillo) y le da la forma del tejado.

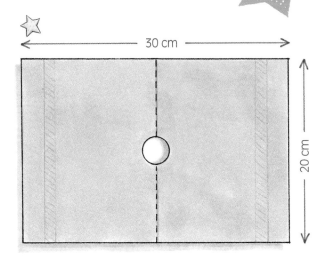

En el centro le hace un agujero de 3 cm de diámetro para la chimenea.

A continuación prepara las partes anterior y posterior de la casa, para lo que corta dos triángulos (como los del dibujo), traza las líneas de puntos y dobla hacia dentro los bordes. Después les aplica pegamento y coloca los triángulos entre las alas del tejado.

A Kika sólo le falta recortar un rectángulo de 12 × 7 cm, enrollarlo, meterlo en el agujero del tejado y... ¡la chimenea ya puede empezar a echar humo!

- ★ cartulina
- ★ tijeras
- ★ cuchillo
- ★ lápiz
- ★ pegamento

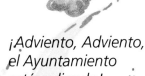

La invención de las manzanas asadas

¡Adviento, Adviento,
el Ayuntamiento
está ardiendo!
Las cañerías de agua
se han helado
y el Ayuntamiento está chamuscado.

¡Adviento, adviento!
El ayudante de Papá Noel
viene corriendo, apila los sacos
alrededor del Ayuntamiento
y así consigue apagar el incendio.
Ya huele el aire a manzana,
un aroma dulce, exquisito,
requetebueno...

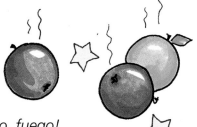

¡Fuego, fuego, fuego!
El ayudante de Papá Noel
viene corriendo.
Pero... ¿qué trae a cuestas
en su enorme saco navideño?
«¡Eh, Ruperto, que con un simple saco
no se puede apagar un fuego!»

Así se inventó en Adviento
la manzana asada que hoy conocemos.
Desde entonces, Ruperto aconseja
no incendiar los Ayuntamientos
para asar manzanas,
sino meterlas en el horno...
¡a fuego lento!

¡Adviento, Adviento!
El ayudante de Papá Noel
viene corriendo
y trae un saco tras otro, ¡todos llenos!
¿Qué habrá escondido dentro?
«¡Ruperto, necesitamos agua
y no sacos para apagar el fuego!»

INVITACIÓN

Querido/a ....:

(pon aquí el nombre de tu amigo o amiga)

¡Vamos a darle una ración de asado al frío invierno!
Te invito a una estupenda tarde
de manzanas asadas.
Encontrarás el horno en:

....

(pon aquí la dirección de tu casa)

Te ofrezco:
Manzanas asadas, ponche de manzana, juegos y buen humor.
Espero que tú traigas:
Mucha hambre y muchísimas ganas de pasarlo bien.

Tu amigo/a,

....

(pon aquí tu nombre)

Manzanas asadas

* 4 manzanas
* 8 cucharaditas de azúcar
* 4 cucharaditas de mantequilla
* medio litro de agua

Con un cuchillo o un vaciador, Kika saca el corazón de las manzanas tras haberlas lavado muy bien. Luego las coloca en una fuente especial para horno, rellena los agujeros con mantequilla y les espolvorea azúcar por encima. A continuación vierte el agua en la fuente. Las manzanas tienen que hornearse a 200 grados durante 20 minutos para estar en su punto. (El helado de vainilla y la nata con canela les van de maravilla como acompañamiento.)

Las manzanas asadas también pueden rellenarse. Kika tiene los ingredientes preparados para ello: Diferentes mermeladas, ciruelas en almíbar, arándanos, nueces y almendras trituradas, pasas, azúcar moreno, mazapán y jalea de grosellas, así que sus invitados van preparando sus propios rellenos.

Dani quiere colocarle un sombrero de nieve a su manzana asada, así que Kika pone a punto de nieve dos claras de huevo a las que ha añadido 60 g de azúcar. Dani coloca su sombrero blanco sobre la manzana y la mete un momentito en el horno, para que la nieve se endurezca.

Querido Dani, permíteme un consejo: No acerques los dedos a las manzanas asadas, porque como bien sabrás, están muy calientes y te los puedes achicharrar.

Bolsas-manzana aromáticas

- fieltro rojo y verde
- cuerda
- hilo y aguja

A continuación rellenan las bolsas-manzana con esta mezcla aromática: clavos de olor, canela en rama, anises, agujas de pino y cáscaras de naranja y de limón secas. Luego recortan una hoja de fieltro verde de 7 cm de largo (el patrón está en la guarda delantera del libro), introducen un extremo por la abertura de la manzana y terminan de coser la bolsa.

Kika y sus amigos van a confeccionar unas bolsas-manzana aromáticas para regalárselas por Navidad a sus padres. Cada uno corta dos círculos de 14 cm de diámetro en un trozo de fieltro rojo de unos 20 × 30 cm, los superponen y los cosen con una costura muy pegada al borde dejando sólo un trozo de 5 cm de ancho sin coser.

Para que los padres puedan colgar las bolsas-manzana, los niños les cosen un trocito de fieltro o de cuerda justo al lado de la hoja verde.

Candelabros-manzana

Una hermosa manzana roja puede transformarse en un bello candelabro. Para ello, Kika extrae el corazón de la manzana con un cuchillo o con un vaciador y coloca dentro una vela pequeña. Después, y con ayuda de unos palillos, va clavando en la manzana pasas, nueces, trocitos de fruta y de queso.

Kika ha propuesto a sus compañeros de clase un acertijo de imágenes. ¡Quien lo adivine sabrá qué sorpresa viene a continuación!

12 Acertijo de imágenes

Leídas una detrás de otra, las iniciales de estas imágenes forman una riquísima receta...

Ponche de manzana

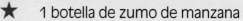

- ★ 1 botella de zumo de manzana
- ★ 1 clavo de especia
- ★ 1 rama de canela
- ★ 1 limón
- ★ 1 cucharada sopera de miel
- ★ el zumo de 2 naranjas

Kika calienta en una cazuela el zumo de manzana con el clavo y la canela en rama. Corta el limón en rodajas, lo añade a la cazuela y deja hervir todo durante 5 minutos.

Después saca las rodajas de limón y las especias de la cazuela y añade la miel y el zumo de las dos naranjas.

¡Así el ponche tendrá muchas vitaminas además de estar de rechupete!

¿Con qué empieza el día y con qué termina la noche?

13

¿En qué vasos se puede verter mejor un líquido?

14

Antes de servir el ponche, Kika sorprende a sus invitados con un concierto de copas. Sobre la mesa hay varias copas (las más apropiadas son las de cristal fino). Están llenas de agua, aunque a diferentes niveles. Kika sujeta el pie de la copa con una mano, se chupa el dedo índice de la otra mano y lo desliza en círculo por el borde del cristal. De pronto resuena una mágica melodía... Cuanto más llena está la copa, más agudo es el sonido.

Dani quiere imitar a Kika, pero no le sale bien...

«Tienes los dedos llenos de grasa», le dice Kika riendo. Y, en efecto, después de lavarse las manos, Dani también consigue tocar una melodía mágica.

 15 ** El enigma de la pasta**

Kika forma una copa con cerillas y coloca dentro una pasta.

Quien consiga poner la copa boca abajo moviendo sólo tres cerillas de sitio y dejar la pasta fuera... ¡podrá comérsela!

Una función de Navidad

La Navidad ya está aquí, y en el colegio de Kika habrá una función para celebrarla.

En su clase ya han empezado los preparativos, y es que hace falta ensayar mucho para que todo salga a la perfección.

Los niños y niñas actores corren en circulo y cantan juntos la primera estrofa de su canción, con la melodía del villancico *Ande, ande, ande, la marimorena...*

A cada estrofa van sumándose otros niños con sus correspondientes disfraces, y entre todos invitarán al público asistente a la función a corear el estribillo:

«Ande, ande, ande, vienen de camino todos mis amigos a besar al Niño.»

«Buon Natale!», dice Pino, dando un brinco de alegría. Trae bombones el bambino para el hijo de María.

«Sheng Dan Kuai Le», dice Liu en perfecto mandarín. Trae naranjas de la China y un perrito de Pekín.

En las pausas de las estrofas, cuando se entona el estribillo, el resto de los niños y niñas pueden acompañar la función con flautas u otros instrumentos, por ejemplo, los típicos de cada país.

Un millón de amigos

«Buon Na - ta - le!», di - ce Pi no, dan-doun brin-co dea-le-

grí - a. Traebom -bo-nes el bam-bi-no-pa-rael hi- jo de Ma-

rí - a.   An - de, an - de,   an - de,   vie - nen de ca -

mi - no   to-dos mis a - mi - gos a be - sar al Ni - ño.

«Vrolyk Kerstfest», dice Antje, con aroma a tulipanes. Ha venido desde Holanda a alegrar las Navidades.

«Merry Christmas, Merry Christmas», dice Jack mascando chicle, un muchacho de Alabama que es genial contando chistes.

Desde Ghana viene Ngono
animando la mañana.
Vamos a bailar en corro
con su música africana.

«God Jul», dice alegre Svenja
con su corona de velas,
que, por si no lo sabías,
es una costumbre sueca.

Suena la flauta de caña,
llega Pablo del Perú.
«Feliz Navidad, amigos;
besos al niño Jesús.»

16 ¿Quién sabe ordenarlo correctamente?

Fröhliche Weihnachten - Finlandés
Joyeux Noël - Inglés
Merry Christmas - Sueco
Hauskaa Joulva - Polaco
Wesolych Swiat - Alemán
Buon Natale - Holandés
Vrolyk Kerstfest - Francés
Feliz Navidad - Chino
God Jul - Italiano
Sheng Dan Kuai Le - Español

«Hauskaa Joulva», dice Eero,
con acento finlandés.
Viene muy bien abrigado
por si hace frío en Belén.

Desde Francia, Jacqueline
nos dice «Joyeux Noël».
Y al compás de su acordeón
bailan la mula y el buey.

Estos niños de Polonia
han venido disfrazados*.
«Wesolych Swiat», nos dicen,
cargaditos de regalos.

(*) En Polonia, los regalos
de Navidad los traen
angelitos y diablillos.

La nieve ya ha cubierto las calles y afuera hace mucho frío.
A Kika le encanta la época de la Navidad, pero también sabe que, ahora, para los pájaros resulta muy difícil encontrar comida, así que empieza a pensar en la manera de ayudarles.

Comederos para pájaros

- ★ 1 tiesto de barro
- ★ media cáscara de coco
- ★ 1 caja de madera redonda
  (puede servir una de queso)
- ★ cuerda o cordel
- ★ manteca de cerdo
- ★ comida para pájaros

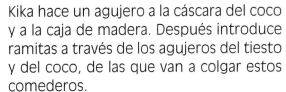

Kika hace un agujero a la cáscara del coco y a la caja de madera. Después introduce ramitas a través de los agujeros del tiesto y del coco, de las que van a colgar estos comederos.
La caja de madera se sujeta directamente con una cuerda.

Kika funde la manteca de cerdo, le añade comida para pájaros y, antes de que se enfríe la mezcla, la vierte en los comederos.

Cuadros de flores de hielo

¡Esto sí que es una auténtica brujería...! ¡Cuadros que se pintan solos!
Kika espera a que haga una noche tan fría que incluso hiele. Entonces coloca con mucho cuidado un cristal o el marco de un cuadro con cristal en el alféizar de una ventana o en el suelo de un balcón.
Después sólo tiene que echarle un poco de agua por encima y... ¡el resto lo hará la propia helada durante la noche!

Campanas de tiestos de barro

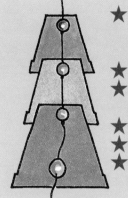

* tiestos de barro de 3 tamaños diferentes
* cuerda o cordel
* pintura acrílica soluble en agua
* papel dorado
* algodón
* 4 gruesas cuentas de madera

Comprueba dónde anudar la segunda cuenta de madera, para que la campana cuelgue a una distancia adecuada, y después de haber colocado bien esta cuenta, cuelga la tercera campana. Ahora sólo le queda anudar la cuarta cuenta de madera de forma que asome como si fuera un badajo por el borde inferior de la campana más grande. El peso de esta cuenta de madera mantiene tensa la cuerda. Bien adornado, el conjunto resulta muy apropiado como adorno para el árbol de Navidad.

Como es lógico, las cuentas de madera tienen que ser más gruesas que los agujeros del fondo de los tiestos. Después de atarle la primera cuenta, Kika cuelga la campana más pequeña, y a continuación pasa el resto del cordón por la campana mediana.

El iglú luminoso

Kika ha hecho un pequeño iglú con nieve en el alféizar de su ventana y ha introducido en el hueco interior una vela pequeña.
¡Es la iluminación navideña más bonita que se pueda soñar!

*Ya estamos en Navidad,
¡y ya va siendo hora
de envolver los regalos...!*

Papel de Navidad

Kika dibuja diferentes motivos navideños
con ceras en un pliego de papel de
embalar liso.

A continuación le aplica acuarela
con una esponja o un pincel y...
¡ya tiene un precioso y original papel
para envolver los regalos de Navidad!

Rollo sorpresa

✳ el cartón de un rollo de papel higiénico
✳ un trozo de nuestro «papel de Navidad»
(aproximadamente de 17 × 28 cm)
✳ cinta de envolver regalos

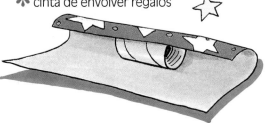

Kika forra el cartón del rollo de papel higiénico con el «papel de Navidad» de forma
que sobren unos 9 cm por cada lado.
Después ata los dos extremos con cinta de
regalo y... ¡el rollo sorpresa se convierte en
un caramelo gigante que puede llenarse
con golosinas o pequeños regalos!

Tormenta de nieve

* 1 pliego de papel de seda
* 1 bandeja de horno,
  o cualquier bandeja de metal
* 1 cristal
* 1 paño de lana o de seda
* 1 pila de libros

Kika recorta muchas estrellas (copos de nieve) de papel de seda de unos 3 o 4 cm de diámetro y las coloca en la bandeja de horno. Después construye un puente sobre la bandeja con los libros y el cristal y empieza a frotar enérgicamente este último con el paño.

Como impulsados por una mano mágica... ¡los copos de nieve empiezan a bailar!

Bolsa de Navidad

Kika pliega un folio de forma que una de las mitades sobresalga 1 cm sobre la otra. Entonces dobla el borde que sobresale y lo pega bien sobre la mitad del folio que ha quedado debajo. A continuación decora el papel pintándolo o pegándole adornos encima.

Así pliega Kika la base de la bolsa:

*Dobla las esquinas hacia arriba
y vuelve a bajarlas.*

Después las pliega hacia dentro.

*Abre la punta resultante, dobla las puntas
de los picos y las pega.*

*Al final, Kika le hace
unos agujeros para
pasarle una cinta.*

RONDA GENERAL

A **¿Qué emperador reinaba cuando nació Jesús?**

1. Guillermo.
2. Augusto.
3. Julio César.

B **¿En qué ciudad nació el Niño Jesús?**

1. En Belén.
2. En Jerusalén.
3. En Soria.

C **¿En qué lugar nació el Niño Jesús?**

1. En el área de descanso de una autopista.
2. En una posada.
3. En un establo.

D **El Niño Jesús yacía en...**

1. un pesebre.
2. un columpio.
3. un cochecito de bebé.

E **¿Qué animales había en el establo?**

1. Un gallo y una gallina.
2. Una mula y un buey.
3. Los 101 dálmatas.

RONDA PARA JUGAR EN FAMILIA

F ¿Cómo viajó la Sagrada Familia?

1. En tren.
2. En una caravana de camellos.
3. En un burro.

G ¿Cuál era la profesión de José?

1. Albañil.
2. Carpintero.
3. Soldado.

H ¿Qué le regaló María al Niño Jesús?

1. Una oveja.
2. Un jersey hecho por ella misma.
3. Todo su amor.

I ¿De qué se alegraron más María y José?

1. De los regalos de los Reyes Magos.
2. Del canto celestial de los ángeles.
3. Del nacimiento del Niño Jesús.

J ¿A quién tenía que temer más la Sagrada Familia?

1. A Herodes, rey de los judíos.
2. A Lucifer, el demonio.
3. A la venganza de los galos.

RONDA PARA ESPECIALISTAS EN VILLANCICOS

K **Dime niño, de quién eres...**

1. todo vestido de verde.
2. todo vestido de blanco.
3. ¿de mi vecina Mari Tere?

L **Noche de amor, noche de paz...**

1. nadie se duerme excepto yo.
2. ha venido el doctor.
3. de esplendor sin igual.

M **Campana sobre campana...**

1. verás pasar a la tuna.
2. y sobre campana una.
3. y te darán una tunda.

N **Pastores venid, pastores llegad, a adorar al Niño...**

1. que ha nacido ya.
2. que se llama Juan.
3. que quiere jugar.

O **Ande, ande, ande, la marimorena...**

1. ande, ande, ande, que se va la pena.
2. ande, ande, ande, que ya es Nochebuena.
3. ande, ande, ande, que esta noche es buena.

RONDA OFICIAL

P **¿Quiénes fueron las primeras personas que visitaron al Niño Jesús?**

1. Los tres Reyes Magos de Oriente.
2. Los tres blancos de Occidente.
3. Los pastores que estaban en el campo.

Q **¿Cómo se llamaban los tres Reyes Magos?**

1. Pepito, Juanito y Manolito.
2. Melchor, Gaspar y Baltasar.
3. Boris, Lucas y Nicanor.

R **¿Qué les mostró a los Reyes Magos el camino hasta el portal?**

1. Una bola de cristal.
2. La estrella.
3. Una bengala luminosa.

S **¿Qué regalos ofrecieron los tres Reyes Magos al Niño Jesús?**

1. Un querubín, un serafín y un serpentín.
2. Oro, incienso y mirra.
3. Piedras preciosas, bonos del Tesoro y cheques al portador.

SOLUCIONES

Adivinanza 1

ÁRBOL DE NAVIDAD
NACIMIENTO
MERCADILLO DE NAVIDAD
VILLANCICOS
REYES MAGOS
CABALGATA DE REYES
ROSCÓN DE REYES
MAZAPÁN Y TURRÓN
PORTAL DE BELÉN
PAPÁ NOEL
MUSGO Y RAMAS DE ACEBO

Adivinanza 2

29 cortes.

Adivinanza 3

Un «kilómetro».

Adivinanza 4

¡Pruébalo!

Adivinanza 5

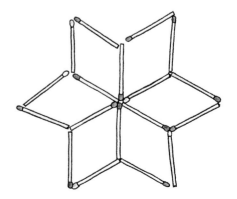

Adivinanza 6

¡La cerilla, por supuesto!

Adivinanza 7

Adivinanza 8

Al menos tres renos.

Adivinanza 9

Ruperto lleva 4 sacos,
y Papá Noel, 5.

Adivinanza 10

Como es natural, 4.

Adivinanza 11

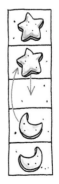    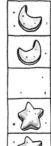

Adivinanza 12

«Ponche de manzana.»

Adivinanza 13

Con las letras *D* y *E*.

Adivinanza 14

En vasos vacíos.

Adivinanza 15

Adivinanza 16

Fröhliche Weihnachten	Alemán
Joyeux Noël	Francés
Merry Christmas	Inglés
Hauskaa Joulva	Finlandés
Wesolych Swiat	Polaco
Buon Natale	Italiano
Vrolyk Kerstfest	Holandés
Feliz Navidad	Español
God Jul	Sueco
Sheng Dan Kuai Le	Chino

Concurso

A: (2) Augusto
B: (1) Belén
C: (3) En un establo
D: (1) un pesebre
E: (2) Una mula y un buey

Concurso

F: (3) En un burro
G: (2) Carpintero
H: (3) Todo su amor
I: (3) Del nacimiento del Niño Jesús
J: (1) A Herodes, rey de los judíos

Concurso

K: (2) todo vestido de blanco
L: (3) de esplendor sin igual
M: (2) y sobre campana una
N: (1) que ha nacido ya
O: (2) ande, ande, ande,
       que ya es Nochebuena

Concurso

P: (1) Los tres Reyes Magos de Oriente
Q: (2) Melchor, Gaspar y Baltasar
R: (2) La estrella
S: (2) Oro, incienso y mirra

ÍNDICE

Actividades

Manualidades

Poemas-Historias

Canciones

Adivinanzas

Recetas

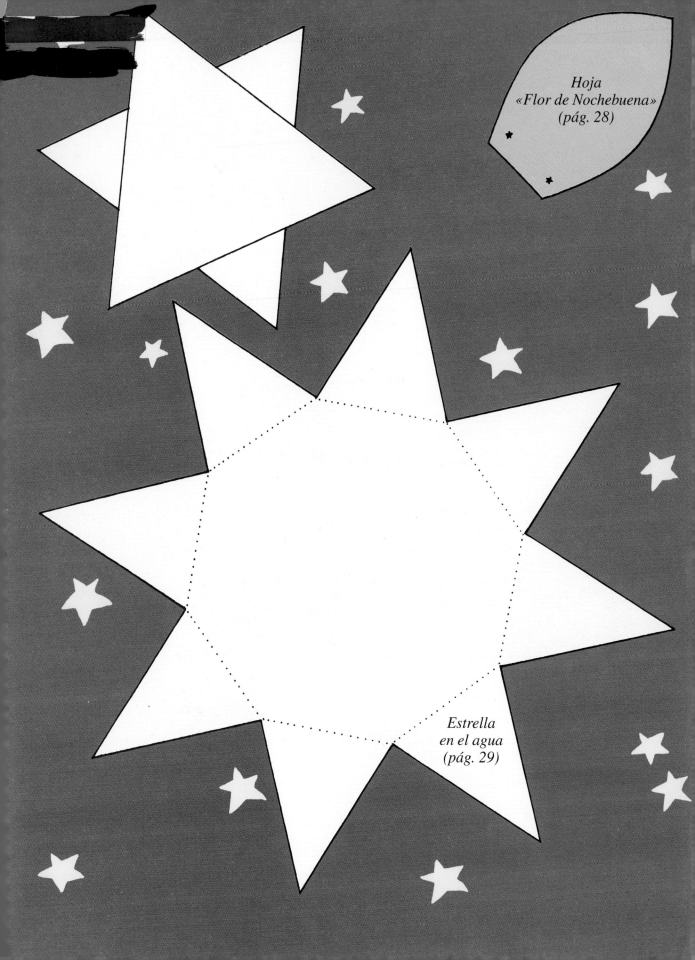

Hoja
«Flor de Nochebuena»
(pág. 28)

Estrella
en el agua
(pág. 29)